Colección LECTURAS DE ESPAÑOL

Lecturas de Español son historias interesantes, breves y llenas de información sobre la lengua y la cultura de España. Con ellas puedes divertirte y al mismo tiempo aumentar tus conocimientos. Existen seis niveles de lecturas (elemental I y II, intermedio I y II y superior I y II), así que te resultará fácil seleccionar una historia adecuada para ti.

En *Lecturas de Español* encontrarás:
- temas e historias variadas y originales,
- notas de cultura y vocabulario,
- ejercicios interesantes sobre la gramática y las notas de cada lectura,
- la posibilidad de compartir tu lectura con otros estudiantes.

GW00393694

Carnaval

Coordinadores de la colección:
Abel A. Murcia Soriano (Instituto Cervantes. Varsovia)
José Luis Ocasar Ariza (Universidad Complutense de Madrid)

Autor del texto:
Ramón Fernández Numen

Explotación didáctica:
Mar Menéndez Lorente
Abel A. Murcia Soriano
José Luis Ocasar Ariza

Maquetación e ilustraciones:
Raúl de Frutos Pariente

Diseño de portada:
Carlos Casado Osuna

Diseño de la colección:
Antonio Arias Manjarín

© Editorial Edinumen
© Ramón Fernández Numen
© Abel A. Murcia Soriano
© José Luis Ocasar Ariza
ISBN Lectura: 84-95986-91-4
ISBN Lectura con CD: 84-95986-92-2
Depósito Legal: M-33.310-2006

Editorial Edinumen
José Celestino Mutis, 4 - 28028 Madrid (España)
Tlfs.: 91 308 51 42
Fax: 91 319 93 09
E-mail: edinumen@edinumen.es

Imprime: Gráficas Glodami. Coslada (Madrid)

Carnaval

ANTES DE EMPEZAR A LEER

1. La palabra "carnaval" es conocida en todo el mundo. A continuación tienes una serie de palabras. Subraya las que en tu opinión se asocian de alguna manera a la idea de "carnaval":

ruido	trabajo	diversión	responsabilidad	tristeza
nostalgia	aburrimiento	silencio	música	
control	fiesta	disfraces	alegría	
lluvia	policía	dolor	color	
	peligro	amistad	fúnebre	máscaras
esplendor	turistas	funerales		
	flores	petardos	serpentina	

Compara tus palabras y las de tus compañeros y comentad vuestras diferencias.

2. A continuación tienes una serie de ciudades de diferentes partes del mundo. Marca aquellas que tengan un carnaval famoso.

- ☐ Montevideo
- ☐ Tokio
- ☐ Nueva Delhi
- ☐ Nueva Orleans
- ☑ Estambul
- ☑ Madrid
- ☐ Las Palmas de Gran Canaria
- ☐ Varsovia
- ☐ Kabul
- ☐ Santa Cruz de Tenerife
- ☐ Washington
- ☑ Johannesburgo
- ☐ Rabat
- ☑ Venecia
- ☑ Londres
- ☐ Moscú
- ☐ El Cairo
- ☑ Río de Janeiro
- ☐ Cádiz
- ☑ Sydney
- ☐ Sofía
- ☐ Sitges

3. En la portada hay una fotografía tomada durante unos carnavales. Fíjate bien en la fotografía e intenta adivinar de qué país –o de qué ciudad– se trata. Apunta 5 cosas que te permiten hacer esa hipótesis:

a. _____

b. _____

c. _____

d. _____

e. _____

Compara tu lista con la de tus compañeros. ¿Estáis de acuerdo? Si no, ¿cuáles son las diferencias?

4. A continuación tienes una serie de objetos asociados normalmente al carnaval. Más abajo tienes sus nombres. Por desgracia, todo está un poco desordenado. ¿Nos ayudas a ordenarlo?

1. máscara	**3.** petardo	**5.** careta
2. disfraz	**4.** peluca	**6.** antifaz

a-3

b-

c-

d-6

e-4

f-

5. El carnaval se celebra en un momento preciso del año. En España hay otros días o periodos festivos a lo largo de esos doce meses. Ordena la lista que te presentamos desde enero hasta diciembre.

1. Semana Santa
2. Nochevieja
3. Año Nuevo
4. Carnaval
5. Día de la Constitución
6. Día de Todos los Santos
7. Nochebuena
8. Navidad
9. Reyes
10. San Juan

a. *Año Nuevo*
b. _____
c. _____
d. _____
e. _____
f. _____
g. _____
h. _____
i. _____
j. _____

6. ¿Eres capaz de imaginar con el título y la fotografía de la portada la historia que te presentamos? Anota a continuación lo que crees que te espera en las páginas del libro y comprueba más tarde si eres un buen "adivino".

_____
_____
_____
_____

7. ¿Qué opinión tienes del Carnaval? ¿Qué es para ti lo más interesante? ¿Y lo menos? Anota a continuación lo que piensas sobre el Carnaval.

_____
_____
_____

8. Dividid la clase en dos grupos, según vuestras opiniones anteriores, y ponedlas en común.

Viernes, 23.00h.

Me gusta mucho viajar en tren. Pienso que es la manera más bonita de viajar. Puedes disfrutar de bellos paisajes, conocer gente interesante, escuchar todo tipo de historias de los compañeros de tu vagón...

Pero esta vez es diferente. Viajo de noche en un tren nocturno, un tren que me deja mañana por la mañana en la ciudad de Cádiz, en el sur de España. Y necesito dormir, así que creo que hoy no estoy para muchas conversaciones. Sí, necesito dormir mucho porque mi amigo Philippe me espera a las ocho en la estación, para recogerme y llevarme a su casa, donde quiero pasar unos días para conocer el famoso Carnaval de Cádiz. Y Philippe siempre dice que durante el Carnaval se **sale** mucho y se duerme muy poco. Él vive en esta ciudad (dicen que la más antigua de Europa), donde estudia su tercer año de **Humanidades** con una beca **Erasmus**. Aparte de que puedo ahorrarme el dinero de quedarme en un hotel, Philippe me dice en sus correos que conoce mucha gente en Cádiz, que la gente es muy simpática y que **todos están de buen humor**. También me cuenta que siempre hace sol, y que eso influye en el carácter. ¡Tengo tantas ganas de llegar! *influential*

Por suerte, tanto Philippe como yo hablamos español. Los dos somos de Burdeos pero nuestras familias

salir: aquí, ir a divertirse.

Humanidades: estudios universitarios relacionados con las Letras: arte, literatura, historia, etc.

Erasmus: plan de becas promovido por la Unión Europea con el fin de apoyar y facilitar la movilidad académica de los estudiantes y profesores universitarios dentro de los estados miembros de la Unión Europea.

estar de buen humor: estar contento, feliz.

la Guerra Civil española(1936-1939): se desencadenó a raíz del golpe militar del General Franco contra la II República. Terminó con la victoria del bando nacional y dio lugar a una larga dictadura que acabó con la muerte de Franco en 1975.

señorita: forma de tratamiento cortés para dirigirse a una mujer en ámbitos formales y entre desconocidos.

sonrisa de oreja a oreja: sonrisa abierta y plena (coloquial).

adiós: fórmula habitual de despedida.

¡guau!: exclamación de sorpresa.

Comunidad Autónoma de Andalucía: España, política y administrativamente, está dividida en 17 Comunidades Autónomas entre las que se encuentra Andalucía.

son de España. Nuestros abuelos son exiliados de la **Guerra Civil española**, y por suerte, en casa siempre hablamos español. Así que yo me expreso tan bien en francés como en español.

– **Señorita**, ¿me permite su billete? –de repente, una voz interrumpe mis pensamientos.

– Por supuesto, aquí tiene.

– Gracias, señorita. Entonces... usted se baja en Cádiz ¿verdad? –dice el revisor mirando mi billete.

– Sí, así es, voy a Cádiz.

– ¡Qué suerte! Es una ciudad preciosa. Mi mujer y yo vamos todos los años en verano. ¡Cádiz tiene las mejores playas de toda España! –dice el señor, con una **sonrisa de oreja a oreja**–. Bueno... intente dormir, tiene nueve horas por delante. Buen viaje, **Adiós**.

El revisor se marcha y continúa pidiendo el billete al resto de pasajeros. ¡**Guau**! ¡Así que Cádiz tiene las mejores playas de España! Definitivamente creo que me va a encantar esta ciudad.

El tren avanza rápido sobre las vías, haciendo su típico sonido: *tratratratratra*...

Recuerdo que llevo una pequeña guía de viaje sobre España y creo que cuenta algo sobre Cádiz. La saco de mi mochila para leerla. Creo que es una buena idea porque, cuando leo, siempre me entra sueño. La abro y paso las hojas lentamente. A ver... Sí, aquí... Cádiz...

*Se dice que Cádiz es la ciudad más antigua de Europa. Pertenece a la **Comunidad Autónoma de Andalucía**, si-*

tuada en el extremo sur de España. Cádiz es una península: se encuentra rodeada totalmente por el mar, salvo por un estrecho trozo de tierra que la une con la ciudad de San Fernando. Por lo tanto, Cádiz cuenta con más de 7 kilómetros de playas de fina arena. Además de por sus playas, es famosa por su buen tiempo, su pescado y, sobre todo, por el Carnaval, que cada año trae a la ciudad a cientos de miles de visitantes...

– ¡Señorita, señorita! ¡Despierte, ya estamos en Cádiz! –dice un hombre vestido de uniforme. Poco a poco abro los ojos e intento centrar la mirada en el hombre que me grita. El caso es que su cara me resulta familiar, pero yo sigo sin poder reaccionar. ¡Qué sueño! El hombre **me da unos golpecitos en el hombro** mientras me sigue hablando.

¡Ah, sí!... Por fin me doy cuenta, ¡es el revisor del tren! Lentamente voy despertando, mientras me froto los ojos.

– Vamos, señorita, tiene que bajar. ¡**Vaya forma de dormir**! –dice el hombre entre carcajadas.

Miro el reloj. Son las ocho de la mañana, la hora de llegada. Aparto la cortina de la ventana para mirar al exterior y un rayo de luz me golpea en la cara. ¡Vaya, pues es verdad que hace mucho sol aquí en Cádiz! ¡Para ser febrero no está nada mal! Cojo mi mochila del asiento de al lado y me pongo las gafas de sol. Me levanto y avanzo dando tumbos por el pasillo. Despertar por las mañanas **no es mi fuerte**, necesito un café urgentemente.

Bajo del tren y busco con la mirada a Philippe, pero no veo a nadie. ¿Y si no viene? No conozco a nadie más aquí y…

---

dar unos golpecitos en el hombro a alguien: ademán que sirve para avisar a alguien que está distraído o dormido.

¡vaya forma de dormir: "*vaya* + sustantivo" se usa para hablar de algo denotando sorpresa, admiración, fastidio, etc.

no es mi fuerte: "no es algo en lo que destaque, no tengo esa virtud" (coloquial).

jolín: interjección que expresa sorpresa, admiración o disgusto (coloquial).

dar dos besos a alguien: en España, los hombres y mujeres se dan dos besos en la mejilla para presentarse o saludarse (también entre mujeres).

guiñar un ojo a alguien: gesto que indica que estás bromeando.

¡hoy por ti, mañana por mí!: "en otra ocasión tú me harás un favor a mí", se dice cuando se le hace un favor a alguien y éste te da las gracias.

– ¡Natacha! –una voz me grita con fuerza justo en la oreja. Philippe tan gracioso como siempre...

– ¡Natacha! ¿Cómo estás? –Philippe se coloca delante de mí y me da un fuerte abrazo. Pero a mí, que estoy recién levantada, su abrazo me parece el de un gran oso que me quiere asfixiar.

– **Jolín**, Philippe, cuidado, que me vas a ahogar... ¡Vaya recibimiento! –le digo, haciendo un esfuerzo para hablar.

– Ah, perdona, Natacha, ¡es que me alegro tanto de verte! –dice, mientras se separa de mí–. ¿Qué tal el viaje?, ¿muy pesado?

– No, no mucho. Si duermes casi todo el tiempo como yo, se te pasa rapidísimo.

– Bueno, Natacha, cuánto me alegro de que estés aquí. Lo vamos a pasar genial. Mira, te presento a mi amigo Pedro –me señala a un chico delgado y moreno que está a su lado, que me sonríe y se acerca **para darme dos besos**.

– Encantada, me llamo Natacha.

– Sí, ya lo sé. Philippe me habla mucho de ti. Dice que eres su mejor amiga.

– Sí, eso dice, le gusta exagerar –le digo **guiñando un ojo**. Pedro y Philippe se ríen.

– Bueno, vamos, hay que ponerse en marcha –sugiere mi amigo–. Pedro tiene el coche ahí fuera, y nos lleva a casa.

– Muchas gracias, Pedro –le digo.

– De nada, mujer. ¡**Hoy por ti, mañana por mí**!

– ¡Philippe!

– ¿Sí, Natacha?

– Te pido sólo una cosa, y ya sabes lo importante que es para mí. ¡Necesito un café, por favor!

– ¡Ay!... Natacha y sus cafés mañaneros... ¡Siempre la misma Natacha! –dice mientras hace un gesto con las manos, y señala al cielo.

– Le conozco. Eso significa que sí–. Gracias, Philippe –le guiño un ojo–. ¡Eres el mejor!

Pedro conduce mientras Philippe y yo hablamos de nuestras cosas. Yo le cuento las últimas novedades de nuestros amigos de Burdeos y él me cuenta sus últimas aventuras aquí. Mientras hablamos, mi mirada se escapa todo el tiempo por la ventana del coche. ¡Es una ciudad tan diferente a las que yo conozco! Tiene bonitas avenidas llenas de **palmeras** y las casas están pintadas de color amarillo. Y la luz... La luz que tiene es impresionante. El azul del mar que rodea la ciudad parece todavía más azul cuando el sol lo ilumina con sus rayos.

palmeras: árbol típico de las zonas cálidas y tropicales y cuyo fruto es el dátil. Muy abundante en las zonas costeras de España.

Después de 15 minutos llegamos a una calle tranquila y Pedro aparca.

– Aquí es, ya estamos –nos dice.

Subimos a casa de Philippe, en la cuarta planta, y entramos. Allí hay dos chicos más y una chica.

compañeros de piso: es habitual, entre los estudiantes españoles que estudian fuera de su lugar de origen, compartir entre varios los gastos de una vivienda para que la estancia sea más económica.

– Natacha, te presento a mis **compañeros de piso.** Juan...

– Hola, ¿qué tal?

– Encantada de conocerte, Juan.

– Y estos son Paco y Lucía. Paco vive con Juan y conmigo. Lucía es la novia de Paco y vive con sus padres.

romper el hielo: intentar acabar, mediante una conversación intrascendente, con la frialdad y el silencio que se crea cuando personas desconocidas tienen que establecer algún tipo de relación.

salir de marcha: salir a divertirse, habitualmente por la noche y yendo a bares y discotecas.

parecer/ser un bicho raro: expresión coloquial que se dice de la persona que no se parece ni actúa como los demás.

enseñarle a alguien la casa: en España, es signo de cortesía mostrar las estancias de nuestra casa a los invitados que nos visitan por primera vez.

– Hola, Natacha.

– Hola –digo mientras nos repartimos besos unos y otros.

– ¿Cuántos días te quedas? –me pregunta Lucía, tal vez para **romper el hielo**.

– Me quedo hasta el martes. Quiero conocer a fondo este Carnaval del que todo el mundo habla.

– Sí, es muy divertido –continúa Lucía. Por ejemplo, esta noche todo el mundo **sale de marcha** con un disfraz. Es muy importante tener un disfraz porque si no, **pareces un bicho raro**.

– ¿Ah, sí? –pregunto extrañada.

– ¡Pues claro! ¿No tienes disfraz para esta noche?

– Pues... no –digo avergonzada.

– Pues eso hay que arreglarlo. Paco, tenemos que ir al centro de la ciudad para comprarle un disfraz a Natacha. Y cuanto antes mejor. ¿Quién más se viene?

– Yo voy –dice Philippe.

– Vale. Entonces, vamos los cuatro –continúa Lucía.

– Espera un momento –interrumpe Philippe–. Antes **voy enseñarle a Natacha la casa** y su habitación.

Recorremos la casa mientras Philippe me enseña las habitaciones. Me extraña tanta atención, pero no digo nada. La casa es bastante grande. Tiene las paredes de color blanco pero hay muchos pósteres y telas de colores, de estilo árabe colgadas en las paredes. Parece una casa muy acogedora. En el salón hay un equipo de música. El disco que suena me impresiona. Siento el sufrimiento del hombre que canta, su pe-

flamenco: forma de cantar y bailar característica de Andalucía.

na..., oigo su voz desgarrada..., el llanto de la guitarra... ¡Qué impresionante es el **flamenco**!, me digo, ¡cuánta pasión encierra!

– Esta es la cocina..., el cuarto de baño..., y aquí está mi habitación. Tú duermes aquí y yo duermo en el sofá del salón.

– Gracias, pero...

– Nada, nada, mujer... En esta casa es normal. Siempre tenemos visita y alguien tiene que dormir en el sofá. Es como una habitación más –dice sonriendo.

Dejo mi mochila en la cama y me siento para ver si es cómoda.

ponerse en marcha: comenzar a andar, comenzar una actividad.

– Vamos, chicos, hay que **ponerse en marcha**. –Lucía nos llama desde el salón. Tiene razón, mi disfraz espera.

Ayuntamiento: edificio donde se encuentra y trabaja el alcalde y los concejales que forman el gobierno de una ciudad o pueblo.

Ya estamos en el centro de la ciudad Lucía, Paco, Philippe y yo, exactamente en la *Plaza San Juan de Dios*, donde está el **Ayuntamiento** de la ciudad. Lo miro todo con una gran curiosidad. Soy como un niño que ve las cosas por primera vez, o como un director de cine que busca escenarios para rodar su próxima película. La plaza en la que estamos es una plaza muy bonita, grande y con mucha luz. También hay muchas palmeras y palomas que acuden para comer las migas de pan que la gente les echa. La atravesamos y seguimos andando por una calle que se llama *Pelota*.

todas las calles del centro son muy estrechas: esta configuración de las calles es muy típica de los pueblos de Andalucía y Extremadura.

Todas las calles del centro son muy estrechas, y las casas tienen normalmente tres plantas y están pintadas de blanco o de amarillo. Mientras los cuatro ca-

balcones, donde la gente coloca plantas y flores: un balcón es una terraza muy pequeña con barandilla donde es típico colocar macetas con flores, especialmente en los pueblos andaluces.

minamos por las soleadas calles, Lucía me explica que las calles son tan estrechas para dar sombra, porque en verano hace mucho calor y hay que protegerse del sol. En el centro de la ciudad todos los edificios son antiguos y todas las casas tienen **balcones, donde la gente coloca plantas y flores.** ¡Es precioso!

Llegamos a la *Plaza de la Catedral,* que se llama así porque el edificio más importante de la plaza es precisamente la catedral, la Catedral de Cádiz. La miramos unos minutos y continuamos por la calle *Compañía.*

Durante nuestro recorrido, nos tenemos que parar cada cinco minutos. Mis amigos se encuentran todo el tiempo con otros amigos o conocidos y se paran para saludarse y hablar un poco. Parece mentira que se pueda tardar tanto en atravesar unas pocas calles, pero aquí la vida parece tener otro ritmo.

Atravesamos una plaza que está llena de puestos de flores, con flores de muchos tipos y colores. El sol a esta hora ilumina la plaza de lleno y las flores parecen aún más hermosas.

– ¿Cómo se llama esta plaza tan bonita, Philippe?

– Se llama la *Plaza de las Flores.*

– ¡Claro!... ¡Parezco tonta! —me disculpo, dándome una pequeña palmada en la cabeza.

– Natacha, ¡mira! —Lucía me señala una tienda que tiene varias pelucas y **caretas** en el escaparate–. En esta calle hay muchas tiendas donde podemos encontrar un disfraz para ti, sólo es cuestión de mirar y elegir.

– ¿Y de qué me disfrazo? —pregunto.

– De cualquier cosa. Tú eliges. En el Carnaval de Cádiz no es necesario tener un disfraz caro. Lo

careta: máscara.

importante es disfrazarse y ser original, para ser parte del carnaval.

¿qué tal me queda esta peluca?: aquí: "¿Estoy bien con esta peluca?", quedar.

– De acuerdo. ¿**Qué tal me queda esta peluca?** –pregunto a mis amigos mientras cojo una peluca de color verde.

– ¡Estás feísima! –dice Philippe riendo.

– Es mentira –me defiende Lucía–. Es... diferente...

Después de probarme algunas pelucas, por fin ya tengo mi disfraz. Tengo una peluca de color rojo, un **antifaz** de color azul y una capa también de color rojo.

antifaz: careta o máscara que cubre sólo los ojos y que tiene dos agujeros para poder ver.

– Y tú, Philippe, ¿qué disfraz tienes? –pregunto.

– Yo tengo un disfraz de foca.

– ¿De foca? –decimos todos sorprendidos.

– Sí, ¿qué pasa?, de foca. Pero de foca macho, ¿eh? –se explica.

Todos nos reímos mientras salimos de la tienda y caminamos hacia el coche por las calles de esta preciosa ciudad.

Sábado, 20.00h.

Son las 8 de la tarde y estamos en casa de Philippe. Paco y Lucía me explican que, normalmente, en el Carnaval, los grupos de amigos quedan en casa de uno de ellos para disfrazarse todos juntos y hacerse unas fotografías. Luego van todos juntos al centro de la ciudad, donde todas las personas jóvenes (y no tan jóvenes) se encuentran para salir de marcha. Y eso es lo que hacemos ahora: esperar.

Poco a poco la casa se llena de gente. Me presentan a todos los que llegan y yo olvido inmediatamente cómo se llaman. Hay mucho ruido y todo el mundo se pone sus disfraces. Nos disfrazamos todos mientras en la casa suena un disco que provoca las risas de muchos. Yo no entiendo casi nada y me dicen que es normal, que es un disco de **chirigotas**, y que después me lo explican. Llega la hora de marcharse y salimos todos rápidamente. Bueno, es un decir, porque como somos tantos la cosa dura **lo suyo**.

Media hora más tarde nos encontramos en una plaza que se llama *Plaza de Mina*, en el centro de la ciudad. ¡Nunca he visto a tanta gente junta en mi vida! ¿Cuántas personas hay en esta plaza? ¿Mil, dos mil, cinco mil? No sé decir cuántas...

Es una locura. Absolutamente todo el mundo está disfrazado y la gente habla, bebe y se ríe con sus amigos. Cada cierto tiempo pasa por delante de nosotros un grupo de gente con tambores de todos los tipos, y tocando ritmos típicos del Carnaval que provocan un continuo baile mientras duran. Es increíble.

Nuestro grupo es muy grande, y yo hablo con unos y con otros, aquí la gente es muy abierta y enseguida se interesan por ti. Además, como soy francesa, parece que resulto muy exótica y todo el mundo quiere hablar conmigo y hacerme preguntas. ¡Es genial!

Al cabo de un rato miro a mi alrededor y no veo a Philippe. Hace bastante que no hablo con él. Miro a un lado y a otro, pero no lo encuentro. Le pregunto a Lucía, que está a mi derecha:

chirigota: grupo musical que se forma en los carnavales de Cádiz y que canta canciones divertidas de tono satírico, inventadas por los componentes del grupo. Suelen ir vestidos con el mismo disfraz.

lo suyo: expresión coloquial que significa "mucho".

vale: expresión coloquial para mostrar acuerdo con una propuesta.

meterse: aquí "participar, concentrarse, en la conversación".

tablao: escenario.

¿estás de broma?: "¿lo dices en serio?", expresa sorpresa e incredulidad.

– Oye, Lucía, ¿has visto a Philippe?

– Sí, está por aquí, no te preocupes.

– **Vale**, gracias –le digo y **me meto** otra vez en las conversaciones de mis nuevos amigos.

Un chico que se llama Pepe me explica más cosas sobre el Carnaval de Cádiz.

– Es increíble, ¿verdad? Y ahora vamos al *Barrio de la Viña*. Es un barrio muy pequeño pero muy famoso en Cádiz, y hay diferentes **tablaos** en la calle con grupos de chirigotas que cantan gratis para la gente.

– ¿En la calle, gratis?, ¿tan tarde? –pregunto asombrada.

– Sí, sí, claro, hasta las cuatro o las cinco de la mañana.

– ¿Cómo?, ¿**estás de broma**? –grito sorprendida.

– No, no estoy de broma, ¡es verdad! –dice Pepe riendo–. Aquí en Cádiz nos encanta salir de marcha, y más todavía cuando es Carnaval. Además, como no hace mucho frío, podemos estar en la calle toda la noche. Lo sé, lo sé... es un sitio bastante especial –dice sonriendo.

Interrumpo mi conversación para mirar de nuevo a mi alrededor, pero sigo sin ver a Philippe. Esto ya no me gusta tanto, él es en realidad mi único amigo aquí. Yo duermo esta noche en su casa, y no puedo perderlo. Así que empiezo a preguntar a todo el mundo.

– Oye, ¿sabéis dónde está Philippe?

– Pues no sabemos, está por aquí –dicen unos.

– Hace un rato que no lo vemos –dicen otros.

Pero el caso es que nadie me puede dar una respuesta concreta. Además, la plaza está tan llena de gente que es muy fácil perderse.

– Tranquila, Natacha –Lucía intenta calmarme–. Seguro que está en algún bar, en el cuarto de baño y que dentro de poco vuelve. ¡Son muchas horas sin ir al cuarto de baño y todos somos humanos!, ¿no? A propósito, ¿necesitas ir al cuarto de baño? Yo voy ahora, a un bar que está aquí al lado.

La verdad es que sí tengo ganas de ir, lo llevo un rato pensando, pero no me atrevo a ir sola, con tanta gente por todos lados...

– Sí, vale, vamos juntas –contesto a Lucía.

– De acuerdo. Seguro que Philippe vuelve antes que nosotras.

Avanzamos entre una masa de gente disfrazada y tratamos de salir de la plaza. Poco a poco conseguimos llegar al bar y, tras esperar un poco **haciendo cola**, entramos al servicio.

Cuando salimos del bar, Lucía se encuentra con unos amigos y se ponen a hablar. No tiene tiempo de presentármelos porque una música que suena detrás de mí llama mi atención, y me doy la vuelta instintivamente. Poco a poco, abriéndose paso lentamente entre la multitud, aparece un grupo de unos 10 músicos, todos ellos vestidos de blanco, con plumas en la cabeza y en las piernas. A su lado, otras seis u ocho personas, vestidas de la misma manera, bailan alegremente al ritmo de la música. Me recuerda algunos re-

hacer cola: esperar en fila el turno.

portajes que he visto sobre el Carnaval de Brasil. Es un ritmo realmente bonito e intenso, y no puedo evitar comenzar a bailar yo también. Es un momento muy mágico, y veo que otras personas a mi alrededor también bailan y disfrutan del momento como yo. Cierro los ojos por unos instantes y **me dejo llevar por la música**. Por un momento me olvido de todo, del tiempo y del espacio. Es maravilloso...

Tras un par de minutos muy intensos, el sonido de los tambores se aleja poco a poco, **a medida que** el grupo de músicos sigue su camino. Abro los ojos y vuelvo a la realidad. Miro a una chica que está a mi lado y le sonrío. Ella también me sonríe.

De repente, un escalofrío me recorre el cuerpo y **me doy la vuelta** asustada. ¿Dónde está Lucía? ¡No es posible!... La busco, nerviosa, a izquierda, a derecha, delante, detrás, por todos lados, ¡pero no la veo!

– ¡Soy idiota! –me digo a mí misma en voz alta. No me lo puedo creer, primero pierdo a Philippe y ahora pierdo a Lucía...

Bueno, calma, me digo. Respiro hondo y trato de no ponerme nerviosa. Trago saliva. A ver, creo que sé volver a la *Plaza de Mina*, y seguro que allí están todos, esperándome.

Comienzo a andar hacia la plaza. Paso lentamente entre la multitud que llena la calle. Finalmente llego, pero esta plaza es tan grande y hay tanta gente que no estoy segura de saber volver al sitio donde están todos. Camino un rato, me doy cuenta de que doy vueltas en círculo, pero nada, no veo a nadie conocido. Empiezo a sudar, creo que otra vez me estoy poniendo nerviosa. Miro a la gente y todos los disfraces antes tan di-

dejarse llevar por la música: bailar involuntariamente al ritmo de la música.

a medida que: gradualmente, poco a poco.

darse la vuelta: girar sobre uno mismo.

De repente, un escalofrío me recorre el cuerpo y me doy la vuelta asustada.

vertidos me parecen ahora figuras fantasmagóricas que me miran amenazantes. Todo el mundo habla en voz alta y el ruido me parece insoportable. Sigo sudando. No me encuentro bien, tengo mucho calor y siento que me mareo... Tengo que salir de aquí cuanto antes. Tengo que respirar aire fresco, tengo que pensar...

Me alejo de la plaza, hasta llegar a una calle más tranquila. Ya no hay tanta gente ni tanto ruido, y eso me tranquiliza un poco. Siento de nuevo el aire fresco que me golpea en la cara y me encuentro algo mejor. Me siento en un banco, para pensar qué voy a hacer.

Vamos a ver, no sé donde está Philippe y tampoco sé donde están sus amigos. No puedo ir a su casa porque no sé cómo llegar, además seguro que ahora no hay nadie allí. Miro mi reloj. Son las doce y cinco. Bueno, sólo veo una solución posible: tengo que buscarlos. A ver, sé que más tarde van al *Barrio de la Viña*, para ver cómo cantan las chirigotas en los tablaos. Así que lo mejor es preguntar cómo se llega a ese barrio y buscar a mis amigos allí. Al menos, parece que es un barrio pequeño, y no debe de estar muy lejos. Tomo otra vez aire y me levanto del banco para ponerme en marcha. Una pareja de novios, cogidos de la mano, pasa por delante de mí en ese momento. El chico está disfrazado de vaquero y la chica está disfrazada de ángel, con sus alas blancas y todo.

– Hola, ¿me podéis decir cómo se va al *Barrio de la Viña*?

– ¿Al *Barrio de la Viña*?... Sí, cómo no, ¡es muy fácil! Sigues esta calle todo recto, sin dejarla en ningún momento –dice el chico, señalando la calle de mi izquierda.

– Esta calle de aquí, ¿cómo se llama?

– Es la calle *San José*. Tú la sigues recta todo el tiempo y en unos veinte minutos estás en el *Barrio de la Viña*. Es imposible perderse.

– Sí, ya... –me digo a mí misma en voz baja, mientras sonrío. O soy idiota o no es tan imposible perderse; ya van dos veces esta noche.

– ¿Cómo dices? –pregunta el chico al oír que digo algo entre dientes.

– No, nada, nada, perdona. A veces hablo para mí misma –contesto mientras les lanzo una sonrisa de complicidad.

La pareja de novios me mira extrañada y la chica tira del brazo a su novio para indicarle que tienen prisa. Finalmente el chico dice un tímido *Adiós*, se dan la vuelta y se van. Ja, ja, ja, creo que les he asustado, seguro que imaginan que estoy loca. Un poco de risa no **viene mal** en estos momentos.

venir bien/mal: ser o no conveniente para uno o para una situación.

Bueno, en teoría, el camino al *Barrio de la Viña* es fácil, vamos a ver si en la práctica es verdad.

Empiezo a caminar calle arriba, junto a mucha gente que camina en la misma dirección. Seguro que encuentro a mis amigos. Además, es fácil ver una foca entre la multitud, me digo para darme ánimos.

De repente, después de caminar unos tres minutos, algo extraño pasa. Delante de mí, a unos 50 metros oigo un gran alboroto y a mucha gente que grita parada en un cruce entre dos calles.

No sé qué pasa. Me acerco. El ruido es cada vez mayor. Todavía algo lejos puedo ver un coche parado en el cruce, y un montón de gente moviéndolo de un lado al otro. Me acerco más, con curiosidad pero un poco asustada, para poder ver mejor qué está pasando. Hay un coche rojo parado en el cruce y varias personas en la calle lo mueven con fuerza de lado a lado, mientras gritan: *Esto es carnaval, esto es carnaval.*

— ¿Pero qué locura es esta? –pienso–. ¿Qué les pasa? ¡Pobre conductor!

Lo más curioso de todo es que el conductor del coche no parece muy preocupado; incluso, parece disfrutar con "este juego", y se ríe mientras hace sonar la bocina al ritmo de los gritos. Todo el mundo aquí ríe menos yo, que no entiendo nada.

Un chico que está a mi lado, que parece que va a reventar de la risa, me mira, e inmediatamente yo trato de cambiar mi cara de sorpresa y de reírme también, pero creo que se nota demasiado que es una risa falsa, así que me doy la vuelta con mi cara de idiota y miro para otro lado.

De repente, un chico perfectamente disfrazado de torero se sube al techo del coche y, con su capa roja, empieza a torear.

Inmediatamente, todo el mundo deja de mover el coche y comienza a gritar:

— ¡**Olé**!... ¡**Olé**!... La verdad es que el chico se cree que está delante de un toro, porque se ve que pone toda su habilidad en el asunto. Al final, levanta la cabeza mirando al cielo y saluda a todo el mundo con su **montera** negra.

Todo el mundo aplaude y grita *¡Olé! ¡Olé!, ¡torero!, ¡torero!*...

Yo también aplaudo. La situación me hace gracia.

olé/ole: interjección que se usa para animar o aplaudir.

montera: gorra que lleva el torero y que se quita para saludar y dar las gracias al público.

¡torero!: exclamación de admiración y reverencia para el torero que ha hecho una buena faena y, por extensión, para cualquiera que haya tenido una buena actuación.

De pronto el coche se pone en marcha y sigue lentamente su camino calle abajo, con el torero subido en el techo, que torea a la gente de la calle. Todo el mundo aplaude por última vez y, entre risas, sigue su camino hacia el *Barrio de la Viña*. El coche desaparece poco a poco por el fondo de la calle y yo decido seguir mi camino también.

– ¿Cómo te llamas? –me pregunta una voz desde atrás.

Me giro sorprendida y pregunto– ¿Cómo?

– Que cómo te llamas –me vuelve a decir una voz, escondida detrás de un traje de drácula.

– Me.., me llamo Natacha, ¿por qué? –contesto nerviosa.

– ¿Natacha? Qué nombre más bonito. Yo me llamo Martín –me dice el extraño desconocido, y se quita la careta de Drácula para mostrarme su cara. Es bastante guapo.

– ¿Estás sola? –me pregunta mientras me da la mano.

– Me temo que sí –respondo desconfiada–. He perdido a mis amigos y los estoy buscando.

– ¿Y no sabes dónde están?

– Sé que van al *Barrio de la Viña*.

– Ah, claro, a *La Viña*. Pero es un poco pronto para ir allí. Son sólo las doce y media de la noche y hasta la una y media o las dos allí no pasa nada.

– ¿De verdad?

– De verdad. Ven, anda, entra a tomarte algo conmigo y más tarde, si quieres, te acompaño a *La Viña*.

El chico señala con su dedo un bar justo al otro lado de la acera.

No sé qué hacer. No lo conozco de nada pero, por otra parte, ¿qué voy a hacer sola hasta las dos de la mañana?

caña: vaso de cerveza de barril, no de botella.

– Venga, Natacha, no tengas miedo. Sólo quiero invitarte a una **caña** y hablar un poco contigo porque no eres de Cádiz, ¿verdad?

– No, soy de Burdeos. Estoy aquí sólo por unos días.

– ¿De Burdeos? Eso está un poco lejos de aquí, ¿no? ¿Es tu primer Carnaval?

– Sí, el primero.

– ¡Fantástico! ¡Lo vas a pasar genial! Bueno, ahora me lo cuentas dentro. Tengo sed, ¿tú no?

– Vale, está bien. Me tomo una caña contigo y luego me marcho, ¿vale?

– Vale, de acuerdo.

con jamones colgados del techo y barriles de cerveza a los lados: aspecto típico de muchos de los bares andaluces y españoles.

Entramos al bar. Es el típico bar de estilo andaluz, **con jamones colgados del techo y barriles de cerveza a los lados.** Hay bastante gente en el bar, mucho humo y todos hablan muy alto.

– Espera, voy a pedir dos cañas.

barra: mostrador de un bar o cafetería.

Espero en medio del bar mientras Martín se marcha a la **barra.** Al fondo del bar hay un escenario, con un grupo de unas 12 personas cantando. Todos están disfrazados de vikingos. La gente que les escucha se ríe mucho, así que trato de poner atención para escuchar lo que cantan. Hay bastantes cosas que no entiendo, por el acento y por el ruido del bar, pero me hacen gracia.

– ¿Te gustan las chirigotas? –me pregunta Martín, que en ese momento llega con dos cañas y me ofrece una.

– ¡Ah! ¿Así que esto es una chirigota? –le digo mientras cojo una de las cañas–. Pues es la primera vez que veo una.

– Pues bienvenida a Cádiz... ¡Salud! –Martín levanta su vaso **para chocarlo con el mío** y yo le sigo–. Así que de Burdeos...

– Sí. ¿Lo conoces?

– No, no lo conozco, tiene que ser bonito...

– No está mal, pero no tiene nada que ver con Cádiz.

– Imagino, pero, ¿**qué es lo que más te choca**?

– Por ejemplo, el clima. En Burdeos hace más frío que aquí y yo creo que eso influye en el carácter de la gente, que es más seria. Pero bueno, Burdeos, por otra parte, es una ciudad muy bonita, con muchos palacios y monumentos. A mí me gusta.

– Oye, y si eres de Burdeos, ¿cómo hablas español así de bien?

– Ah, bueno... Es que mis padres son españoles y en casa siempre hablamos español.

– ¡Ah!, ahora lo entiendo todo. Entonces es normal...

Seguimos hablando. Me cuenta que él tampoco es de Cádiz sino de **Sevilla**, pero que estudia aquí y que

para chocarlo con el mío: golpe que se da con las copas o vasos para brindar.

chocar: sorprender, extrañar. (Coloquial).

Sevilla: ciudad andaluza, capital de la comunidad autónoma de Andalucía.

le encanta la ciudad. Estudia Ciencias del Mar y, si encuentra trabajo cuando termine, quiere quedarse a vivir aquí.

Seguimos hablando y tomamos otra caña, y otra, y otra. Es un chico muy simpático, la verdad.

El grupo sigue cantando sus chirigotas en el escenario del fondo. Todo el mundo lo pasa bien y hay un ambiente genial.

ronda: invitación a comer o a beber que a su costa hace uno del grupo.

los extranjeros no pagan en esta ciudad cuando van acompañados: en España, se considera un gesto de cortesía y hospitalidad no permitir pagar a los foráneos de tu ciudad o país cuando se sale con ellos a tomar algo.

me las pone en un platito, junto con las dos cañas: en muchas partes de España, especialmente en Andalucía, es costumbre acompañar la bebida con algo de comer sin costo alguno para el cliente. Este plato se llama "tapa".

– Déjame pagar esta **ronda**, Martín.

– Bueno, no sé, no sé... **Los extranjeros no pagan en esta ciudad cuando van acompañados**...

– Ya... Lo tuyo no es la economía, ¿verdad? ¿Sabes cuánto dinero dejan los turistas extranjeros en España todos los años?

– Vale, vale... No se puede bromear, ¿eh?

Me acerco a la barra y pido otras dos cañas. El camarero me pregunta que si quiero unas aceitunas. **Me las pone en un platito, junto con las dos cañas**.

Vuelvo con Martín y seguimos hablando.

Al rato, miro mi reloj. ¡Las dos de la mañana! Casi se me olvida que necesito encontrar urgentemente a mis amigos. Lo estoy pasando muy bien pero tengo que irme.

– Martín, perdona..., me lo estoy pasando genial, pero creo que me tengo que ir ya. Tengo que encontrar a mis amigos...

– Lo entiendo, es normal. ¿Quieres que te acompañe? Mis amigos me esperan también en *La Viña*.

– No, no te preocupes, puedo ir sola.

– ¿Seguro? Asómate a la calle...

Me acerco a la puerta y saco la cabeza. Es increíble. Hay muchísimas personas que suben calle arriba, en dirección al *Barrio de la Viña.* Todas cantan, ríen y bailan al ritmo de los numerosos grupos que tocan los tambores de Carnaval.

La multitud avanza tan lentamente que casi resulta imposible salir a la calle. Me asusta pensar otra vez en meterme yo sola en esa marea humana.

– ¿Seguro que quieres ir sola? –vuelve a preguntarme Martín.

– Bueno, está bien. Vamos juntos a *La Viña,* a lo mejor hasta puedes ayudarme a encontrar a mis amigos.

– De acuerdo, ¡vamos! ¡Ahora o nunca!

Martín me coge de la mano y casi por sorpresa me empuja hacia la calle.

– Es la única manera de meterse entre la gente –dice sonriendo.

Nos dejamos llevar por la gente que cada vez va más despacio.

– Estamos ya muy cerca de *La Viña* –comenta Martín.

Al cabo de unos minutos, Martín me da la mano y me dice– ¡Ven! ¡Por aquí!

Doblamos rápidamente una esquina y nos metemos por una calle donde hay bastante menos gente.

– Es un atajo. Lo utilizo para llegar más rápido a *La Viña* cuando hay mucha gente.

Pasamos a paso ligero por varias calles, calles cada vez más oscuras y silenciosas. De repente, me invade una sensación muy extraña y comienzo a desconfiar del chico. ¿Y si realmente Martín no es de fiar? ¿Y si ni siquiera se llama Martín? ¡Al fin y al cabo **lo acabo de conocer**! ¿Planea algo raro?

lo acabo de conocer: lo conozco desde hace muy poco tiempo, desde hace unos momentos.

PÁRATE UN MOMENTO

1. La juventud se rige a menudo por sus propias leyes. Como ves, en la historia, las distancias no tienen demasiada importancia y con un poco de tiempo y algo de dinero, es posible ir de un país a otro para encontrarse con un amigo y pasar unos días con él. ¿Te parece verosímil la historia hasta ahora? ¿Crees que en todo el mundo es posible lo que sucede en el texto o depende del país y de otros muchos factores? La protagonista de la historia es Natacha, ¿crees que es más fácil o más difícil para una mujer viajar sola a otras ciudades o países? Comenta con tus compañeros estos temas antes de seguir leyendo.

2. Natacha y Philippe se conocen desde hace tiempo y comparten muchas experiencias comunes. Piensa en tu mejor amigo/amiga y haz una lista de las experiencias que compartís.

   a. _____

   b. _____

   c. _____

   d. _____

   e. _____

   f. _____

   g. _____

2.1. ¿Son experiencias únicas? ¿Cuáles son los rasgos que una persona debe tener para ser tu amiga?

a. _____

b. _____

c. _____

d. _____

e. _____

f. _____

g. _____

2.2. ¿Qué rasgos no puede tener una persona que es tu amiga?

a. _____

b. _____

c. _____

d. _____

e. _____

f. _____

g. _____

Comenta con tus compañeros tu elección.

3. La historia se encuentra en un momento en el que pueden pasar muchas cosas, unas agradables y otras desagradables. Intenta hacer dos esquemas de posibles desarrollos de la historia, uno positivo y otro negativo.

Desarrollo positivo	Desarrollo negativo
1. _____	1. _____
2. _____	2. _____
3. _____	3. _____
4. _____	4. _____
5. _____	5. _____
6. _____	6. _____
7. _____	7. _____

4. Como ves, el carnaval puede ser una cosa muy "seria", sobre todo si hay que disfrazarse. En el texto, se dice:

"Cada uno de sus amigos lleva un disfraz diferente. Hay hombres vestidos de mujeres, mujeres vestidas de soldado, médicos, monstruos, mariposas, gente con pelucas, gente simplemente con la cara pintada... Hasta hay un chico disfrazado de Harry Potter."

Invéntate un "personaje" y haz una lista con todas las prendas y los elementos necesarios para disfrazarte.

a. _____	e. _____
b. _____	f. _____
c. _____	g. _____
d. _____	h. _____

i. _____   l. _____

j. _____   m. _____

k. _____   n. _____

5. A continuación tienes una serie de acciones.

    - dar dos besos
    - estrechar la mano

Aparecen en la lectura y en España se asocian con las presentaciones. ¿Cómo son las presentaciones en tu país? ¿Dependen de la edad de las personas? Anota qué cosas se dicen y que cosas se hacen en tu cultura para saludar.

Se dice	Se hace
a. _____	a. _____
b. _____	b. _____
c. _____	c. _____
d. _____	d. _____
e. _____	e. _____
f. _____	f. _____

¿Y para despedirse?

Se dice	Se hace
a. _____	a. _____
b. _____	b. _____
c. _____	c. _____

d. _____   d. _____

e. _____   e. _____

f. _____   f. _____

Si lees atentamente el texto una vez más, seguro que eres capaz de decirnos qué se dice y que se hace en España para saludarse y para despedirse. Si no puedes resolver sólo el ejercicio, consulta a tus profesores o a amigos.

En España para saludar

            Se dice   Se hace

a. _____   a. _____

b. _____   b. _____

c. _____   c. _____

d. _____   d. _____

e. _____   e. _____

f. _____   f. _____

¿Y para despedirse?

            Se dice   Se hace

a. _____   a. _____

b. _____   b. _____

c. _____   c. _____

d. _____   d. _____

e. _____   e. _____

f. _____   f. _____

6. Como ves, durante el carnaval pueden pasar cosas un poco sorprenden-
tes, pero no en todos los países es así. ¿Qué cosas te sorprenden hasta
ahora en la historia? Haz una lista y compárala con la de tus compañeros.

a. _____   d. _____

b. _____   e. _____

c. _____   f. _____

Sábado, 02.10h.

demonios: aquí, in-
terjección que indica
enfado e impaciencia
por parte del interlo-
cutor.

– ¡Dónde **demonios** está Natacha! Ya son las dos y diez y no vuelve.

– No sé Philippe, no sé. ¿Tal vez en tu casa?

– No, Lucía, seguro que no está en mi casa. ¡Ella no sabe ir sola! Conozco a Natacha muy bien, y seguro que me está buscando.

– Seguro. Pero no le va a pasar nada, Philippe. Tranquilízate, seguro que llega en un rato.

– Si tranquilo estoy, porque Natacha sabe cuidar muy bien de sí misma. Pero lo que me preocupa es que ella no conoce esta ciudad y no conoce el Carnaval.

– ¿Qué quieres decir?

– Lucía, tú sabes perfectamente cómo es el Carnaval... Hay miles de personas en la calle, personas normales en su mayoría. Pero siempre, entre la gente, se esconden algunos ladrones que aprovechan los disfraces y que hay muchos turistas para robarles.

– Bueno, no tiene por qué tocarle a ella, además, tú mismo dices que sabe cuidar de sí misma...

– Sí, es verdad... Estoy seguro de que ahora mismo nos está buscando y no me parece buena idea quedarnos aquí más tiempo. ¿Y si vamos al *Barrio de la Viña*? Natacha es muy lista y no tiene miedo a preguntar, así que seguro que ya sabe que todo el mundo va ahora allí.

– ¡Es verdad! Podemos ir a buscarla a *La Viña*!

– ¡Pues entonces vamos para allá cuanto antes! ¡Pedro, Paco, Marta, Pepe! ¡Nos vamos a *La Viña*! Tengo que encontrar a Natacha.

Sábado, 02.30h.

La calle está oscura y silenciosa. Sólo se oye a lo lejos el sonido del mar a mi izquierda y, a mi derecha, también muy lejos, el ruido de la gente que celebra el Carnaval en el centro de la ciudad.

Martín lleva un rato sin hablar. Camina con la mirada fija en el suelo y las manos metidas en el bolsillo de su chaqueta.

– Oye, Martín, ¿estás seguro de que vamos bien por aquí? ¿Te has perdido?

– No, no, vamos bien.

– Pero... ¿y tus amigos?, ¿dónde están?

– Seguro que en *La Viña*. Ya llegamos.

– ¿Y queda mucho?

– No, no mucho, está aquí al lado. Espera un momento...

Martín se para en seco frente a un portal y se baja la cremallera de la cazadora. Todo sigue en silencio y no hay ni un alma en la calle. De repente, una sombra se mueve rápidamente por delante de nosotros.

– ¡Aaah! –pego un grito, asustada–. ¿Qué es eso?

Por suerte, es sólo un gato que pasa en ese momento por delante de nosotros. Aparto rápidamente la mirada del gato y vuelvo a mirar a Martín, que justo en ese momento saca algo de su cazadora. Me sonríe...

– ¿Quieres? –Martín con un paquete de tabaco en la mano, me ofrece un cigarrillo.

En ese momento pego un gran suspiro, que incluso Martín escucha.

– ¿Estás bien? ¿Quieres un cigarrillo?

– No, gracias..., no fumo.

hábito: costumbre.

– Haces bien, es un mal **hábito**. Bueno, vamos, ¿seguimos?

Martín comienza a caminar de nuevo y me siento más tranquila, aunque no del todo. Es la última vez que voy con un desconocido por una ciudad desconocida.

Seguimos, sin hablar mucho, sobre todo yo, que aún estoy un poco asustada.

Al cabo de unos minutos Martín se para otra vez frente a una casa.

– Natacha, espera un momento... Esta es la casa de un amigo mío. Voy a subir un momentito a llamarle, ¿subes conmigo?

telefonillo: también "portero automático".

– No, no, mejor te espero aquí.

– ¿Pero te vas a quedar sola en la calle? –me dice mientras llama al **telefonillo** del portal.

– Sí, no pasa nada, ¿tú no tardas mucho, no?

El portero suena y la puerta se abre.

– No, no. En cinco minutos estoy otra vez aquí. Entonces..., hasta ahora –dice Martín mientras desaparece por la puerta.

¿Y ahora qué hago?... ¿Le espero o me voy sola?

Si me quedo y les espero, no sé lo que va a pasar. Pero, por otra parte, si me voy sola me arriesgo a perderme del todo y a que me pase cualquier cosa. Huuum, creo que lo mejor es quedarme, en el fondo creo que este chico no es mala persona. Pero vuelvo a jurar que no me voy sola otra vez con un desconocido en la vida.

Para no pensar en otra cosa, miro hacia el mar, que se puede ver desde aquí. Esta noche hay luna llena, y la luna produce un bonito reflejo plateado sobre el centro del mar. Hay tanto silencio que puedo escuchar el sonido de las olas al **romper** en las rocas de la costa. Incluso puedo oler el mar. El mar tiene un olor particular. Cierro los ojos y aspiro todo lo fuerte que puedo. ¡Huuum, qué bien huele!

Las olas siguen rompiendo con su ritmo pausado y esto me produce cierta tranquilidad.

Miro mi reloj. 10 minutos y Martín no vuelve. Otra vez empiezo a preguntarme si hago bien o, si mejor, me voy.

romper: en el caso de las olas, golpear contra las rocas, contra la arena.

De repente, la luz del portal se enciende y, tras unos segundos, mi misterioso amigo aparece junto con otro chico.

– Bueno, ya estamos aquí, Natacha. Mira, te presento a Luis.

– Encantado –Luis me da dos besos.

Yo hago lo mismo y pregunto:

– Entonces, ¿seguimos hacia *La Viña*? Se me hace un poco tarde.

– Sí, sí, venga, vamos. Si andamos rápido, en unos minutos estamos allí.

Ahora más que andar casi corremos y poco a poco el ruido de la gente se siente más cercano. Además, vemos otra vez a personas caminando por la calle. Parece que ya estamos muy cerca.

Después de unos minutos, doblamos una esquina y... ¡ahí está! Otra vez una plaza llena de gente. Gente por todos lados. Gente con todo tipo de disfraces, gente que se divierte, gente que habla, que baila, que bebe...

– ¿Esto es *La Viña*? –pregunto.

– Sí, ya estamos.

– ¡Qué bien! Y entonces, ¿cómo se llama esta plaza?

– Se llama *Plaza Tío de la Tiza*.

– Ah... Bueno, no es muy grande. Si mis amigos vienen aquí no va a ser difícil encontrarles.

Gente por todos lados. Gente con todo tipo de disfraces, gente que se divierte, gente que habla, que baila...

– Si ellos vienen a esta plaza, que es muy probable, seguro que los ves. Además, dentro de un rato muchas de las personas que hay ahora se empiezan a marchar.

– Ven, Natacha... Mis amigos están allí al otro lado de la plaza. Vamos, Luis...

Martín se abre paso entre la multitud y Luis y yo le seguimos. Llegamos hasta una de las esquinas de la plaza y Martín y Luis saludan a un montón de personas. Besos, apretones de manos, abrazos... Está claro que son sus amigos, desde luego.

Cada uno de sus amigos lleva un disfraz diferente. Hay hombres vestidos de mujeres, mujeres vestidas de soldado, médicos, monstruos, mariposas, gente con pelucas, gente simplemente con la cara pintada... Hasta hay un chico disfrazado de Harry Potter y lo peor es que se parece mucho.

– Ven, Natacha, que te presento a mis amigos.

Martín me los presenta uno a uno, ¡son por lo menos catorce o quince personas!, así que la cosa lleva su tiempo. ¡Qué sensación más rara la de darle dos besos a Harry Potter!

Me llama la atención una cosa: casi todos ellos llevan un pequeño vaso de plástico colgado al cuello, con una cuerdecita.

– ¿Este vaso para qué es? –pregunto a una de las amigas de Martín, la que está disfrazada de mariposa, mientras señalo su vaso.

– Es para echar el fino.

– ¿El fino?

– Sí, es un vino típico de Andalucía. Se bebe frío y en vasitos muy pequeños. ¿Quieres probarlo?

– Bueno, vale.

La chica me pone entonces un vaso alrededor del cuello, con su cuerdecita y me echa un poco de fino. Lo pruebo. ¡Me gusta!

– Bueno, pues a partir de ahora, este es tu vaso –me dice la chica–. Ahí en el cuello está seguro y no se te pierde –dice mientras me guiña un ojo.

A unos metros de nosotros, a nuestra derecha hay una chirigota cantando. Llevan ropas muy viejas y en sus tambores está escrito "Los pobres". Debe ser el nombre de la chirigota. Cantan algo así:

Mira que hace frío en mi casa
hace un frío que pela
fíjate si hace frío
que para estar calentitos
nos metemos en la nevera.

hace un frío que pela: "hace mucho frío". (Coloquial).

La chica (no recuerdo su nombre) me habla de nuevo:

– Oye, Natacha, se nos ha terminado el fino. Voy a comprar una botella, ¿vienes conmigo?

– ¿Por qué no? –pienso. Es una manera de dar una vuelta y también de buscar a Philippe.

– Vale, voy contigo.

– Martín, Natacha se viene conmigo a comprar una

botella de fino. Ahora volvemos −le dice a Martín, guiñándole un ojo.

− ¡Vale!, ¡hasta ahora! −contesta Martín.

− ¿Adónde vamos? −pregunto.

− Muy cerca de aquí. Justo detrás de la plaza. Hay una especie de tienda donde venden bebida.

− ¿Una especie de tienda?

− Sí, no es una tienda en realidad, pero venden bebida durante el Carnaval. Cosas de esta tierra...

Sábado, 03.15h.

− Philippe, ya estamos en *La Viña*, y ¿ahora qué?

− No sé, Lucía, creo que empezar por esta plaza está bien. La *Plaza Tío de la Tiza* es muy conocida en Cádiz. Vamos a esa esquina, ahí donde canta la chirigota, a ver si tenemos suerte.

− Ya estamos, pero no la veo, Philippe.

− Ya... No sé, mira por ese otro lado...

− Espera un momento, Philippe. ¡Esta chirigota me encanta! La chirigota de "Los pobres". Son fantásticos.

− Bueno, escuchamos esta canción y luego nos vamos...

Al mismo tiempo...

− ¿Esta es la tienda?

− ¡Ja, ja, ja! Sí, esta es la tienda..., ya ves que es especial.

– Pero ni siquiera es una tienda, es... una casa normal.

– Ya, Natacha, pero recuerda que estamos en Carnaval. Todo es diferente.

Ante mi sorpresa, nos encontramos frente a una casa en la que una mujer de unos cincuenta años vende botellas de fino y de cerveza a través de una ventana. Hay algo de cola pero va muy rápido.

Miro en el interior y me doy cuenta de que la señora está en el salón de su casa. ¡Vende la bebida desde el salón de su casa! ¡Es increíble! ¡No me lo puedo creer!

En el salón, entre un sofá y la televisión, la señora tiene varios **barreños llenos de hielo** y de botellas de bebida. Una persona, que parece ser su hijo, la ayuda, reparte las botellas entre los compradores y ella cobra y no para... ¡Parece un buen negocio!

Llega nuestro turno.

– ¿Qué queréis, **chiquillas**?

– Una botella de fino –responde mi amiga.

– ¿Una de fino?

– Sí, eso es, una de fino.

– ¡Pepe!, ¡una de fino! –La señora pega un grito fortísimo a su pobre hijo que está apenas a un metro de ella.

El hijo se coloca las gafas, coge una botella de fino del barreño y se la da a mi amiga.

barreños llenos de hielo: en las fiestas populares es habitual esta forma de enfriar las bebidas.

chiquillo/a: no es extraño en mercados, tiendas de barrio, etc., oír este tipo de formas para dirigirse a los clientes de cualquier edad.

– Tres euros, hija –dice la señora.

Le damos los tres euros y nos despedimos con un fuerte "¡hasta luego!".

Nos damos la vuelta y salimos de allí. Mucha gente espera detrás de nosotros para comprar.

– Oye, ¿y esto es legal?

– Bueno, legal, legal..., pero ya sabes, en Carnaval la policía permite casi todo...

– Ah, ya veo..., oye, ¿y hasta qué hora está abierta esta "tienda"?

– Hasta que la última persona se va de la plaza. No sé, hasta las cinco o las seis de la mañana.

Esta ciudad es algo sorprendente –pienso, mientras regresamos a la *Plaza Tío de la Tiza*.

– Bueno, Lucía, ¿ya?, ¿nos vamos?

– Jolín, Philippe, espera un momento... Ahora viene su mejor canción...

– Sí, ya, te entiendo, pero no sé. Nosotros aquí cruzados de brazos mientras Natacha anda perdida por las calles de Cádiz. Me siento responsable...

– Es verdad. Bueno, vamos, pero si encontramos pronto a Natacha, venimos otra vez aquí para ver la chirigota, ¿vale?

– Vale, Lucía, ¡gracias! Agradezco tu comprensión. Chicos, vamos a la plaza de al lado a ver...

– ¡Vamos!..., ¡pero, Paco!, ¿no puedes dejar de comer por un momento? ¡**Qué tío**!, aprovecha cualquier oportunidad para comprarse algo de comer... Anda, deja ese bocadillo para luego...

¡qué tío/a!: forma coloquial para expresar que nos sorprende cómo es o cómo se comporta alguien.

– Es que tengo hambre, Lucía...

– Tengo hambre, tengo hambre..., tú tienes hambre hasta dormido. Anda, vamos, Philippe nos espera.

Cinco minutos más tarde...

La amiga de Martín y yo regresamos de "la tienda" y ella empieza a servir un poco de fino a cada uno de sus amigos, incluida yo. Bebo un poco. Está muy frío. En este momento me acuerdo una vez más de Philippe y miro a mi alrededor; hay mucha gente diferente en la plaza, pero nada, no lo veo por ninguna parte...

– ¿Estás bien? –Es Martín quien me habla.

– Sí, sí, estoy bien, no es nada.

– ¿Seguro?

– Seguro. Bueno, creo que ya estoy un poco mareada después de la cerveza y del fino pero, por lo demás, todo bien.

– Y creo que también estás un poco preocupada por tus amigos, ¿verdad?

– Sí, un poco, aunque no quiero pensar mucho en ello. Es muy tarde y no sé, ¿y si no los encuentro?

– Natacha, seguro que los encontramos. Tranquila. No importa la hora, ni si es muy tarde o no; yo no te dejo sola en una ciudad desconocida para ti, ¿de acuerdo?

– Vale, vale, Martín, eres muy amable, de verdad, pero no quiero molestarte...

– No me molestas para nada, Natacha. Además...

En ese momento, Harry Potter se acerca. Quiere decirnos algo y lo cierto es que me alegro mucho porque me estoy poniendo colorada.

– Oye, chicos, nos vamos todos a la plaza de al lado, ¿os venís?

– ¿A la plaza de al lado?¿Por qué?, aquí se está bien –pregunta Martín.

– Bueno, es que Mario dice que su hermano está en una chirigota que canta ahora mismo en la plaza de al lado.

– ¿El hermano de Mario?

– Sí, el hermano de Mario.

– Bueno, si vais todos, nosotros también vamos, claro.

– ¡Estupendo! ¡Vamos!

En unos segundos, todos los amigos de Martín se ponen de acuerdo y comienzan a andar hacia la plaza de al lado. Yo les sigo, al final del grupo, y aprovecho para echar un último vistazo a la plaza y ver si veo a Philippe por casualidad.

Mientras andamos, Martín me cuenta que Mario es un buen chico, pero que está un poco *colgao*, así que no me debo extrañar si de repente hace cosas raras.

colgado/a: "un poco loco". Expresión coloquial.

Al poco tiempo, llegamos a una plaza un poco más pequeña que la anterior. Se llama *Plaza de La Reina.* También hay bastante gente y un tablao con una chirigota cantando. Nos acercamos todos.

– ¡Mirad! ¡Ese es mi hermano! –dice Mario orgulloso, señalando con su dedo índice hacia el tablao.

Mario es un chico bajito y delgado, que parece muy nervioso. Sus ojos brillan muy intensamente cuando habla.

Todos miramos allí pero, en realidad, todos los miembros de la chirigota van disfrazados de indio y tienen la cara pintada, así que resulta casi imposible saber quién es su hermano.

– Ese, ese es, ¡mirad!

Todos miramos de nuevo pero, por lo menos yo, no consigo ver al supuesto hermano.

– ¿Quién es su hermano? –pregunto curiosa a Martín.

– No tengo ni idea –me dice Martín sonriendo.

Martín se gira hacia uno de sus amigos y le hace un gesto con la cabeza, como preguntando si él sabe quién es su hermano. El chico le devuelve otro gesto también muy elocuente. Se encoge de hombros, hace una mueca parecida a una sonrisa, pero al revés, y levanta las cejas. El alcohol me hace ver las cosas a cámara lenta y me produce risa. Martín también se ríe.

Cuando acaba la canción, Mario se acerca a nosotros muy excitado.

– Cómo canta mi hermano, ¿eh? Es impresionante... Y cómo actúa, ¿verdad?

– Sí, sí, Mario, es algo impresionante, creo que tu hermano tiene mucho futuro por delante –le dice Martín **dándole una palmada en el hombro**.

– Gracias, tío –dice Mario agradecido, mientras se

dar una palmada en el hombro (a alguien): gesto cariñoso que se hace con la intención de dar ánimo a alguien.

marcha para preguntarle lo mismo a otros amigos del grupo.

Martín me guiña el ojo y se ríe. Yo me río también. En ese momento una chica rubia muy guapa que va con unos amigos se para delante nuestro.

– ¡Anda!, ¡Martín! ¿Qué tal?

– ¡Hola, Paloma!... Muy bien, ¿y tú?

– Muy bien, perfecto... Voy a comprar fino, estoy allí enfrente con unos amigos, ¿y tú? ¿Cómo por aquí?

– Pues ya ves, viendo actuar al hermano de Mario.

– ¿Mario? ¿Mi vecino?

– Sí, eso es, Mario tu vecino.

– ¿Y su hermano canta en una chirigota?

– Eso dice...

– Pues me parece un poco difícil porque Mario no tiene hermanos. ¡Es hijo único!

reírse a carcajada limpia: reírse abiertamente y con ganas.

Los tres **nos reímos a carcajada limpia**. Miramos al pobre Mario que sigue allí en medio, moviéndose rápidamente entre la gente, con los ojos brillantes, diciéndole a todo el mundo lo bien que canta su hermano.

– Bueno, Martín, me voy, nos vemos otro día... –la chica rubia se despide.

– Adiós, Paloma...

Sábado, 05.30h.

La música termina. Ya no hay ruido ni chirigotas.

gaditano/a: persona nacida en Cádiz.

Parece que empieza a ser tarde, incluso para los **gaditanos** y, poco a poco, la gente se va de la plaza.

Los amigos de Martín también se marchan a sus casas, pero se despiden antes de nosotros.

Algunos me dicen que esperan verme de nuevo.

Otros, en plena exaltación de la amistad, tal vez ayudados por varios vasos de fino, me dan un abrazo y me preguntan que por qué no me quedo a vivir en Cádiz, que aquí se está mucho mejor que en Francia, que allí hace mucho frío.

Son gente muy simpática, la verdad. Hace solo unas horas que les conozco pero parece que hace años.

La plaza se va quedando prácticamente vacía.

– ¿Y ahora qué hacemos? –pregunto a Martín–. Todo el mundo se marcha...

– Hoy es tu primer día en Cádiz, ¿no?

– Sí, así es...

– Entonces... no conoces *La Caleta*, ¿verdad?

– Pues no, ¿qué es?

– Es la playa más antigua y más famosa de Cádiz. Es muy pequeña, pero muy bonita. Te propongo una cosa...

– Dime...

– Como sabes, no pienso dejarte aquí sola, así que,

tal vez, podemos ir a *La Caleta*. Ya casi amanece y el amanecer en *La Caleta* es maravilloso. Después, alrededor de las 6.30, abren los bares y podemos desayunar en uno que yo conozco muy cerca de allí, ¿qué te parece?

– Me parece bien. Además, creo que no tengo muchas más opciones...

– Pues vamos entonces –Martín me sonríe.

– Vamos...

Comenzamos a andar en dirección a la playa por calles en profundo silencio, calles dormidas de puro cansancio. Sólo se escucha la inconfundible melodía del mar, siempre presente en esta ciudad.

Es curioso, pero esta vez no me siento incómoda caminando junto a Martín por las calles vacías, como hace algunas horas. Ahora estoy segura de que no tengo nada que temer de él y de que, como dicen aquí, es un "tío legal".

Mientras caminamos, nos reímos recordando todas las anécdotas sucedidas a lo largo de la noche.

El olor a mar es cada vez más intenso y, finalmente, llegamos a un paseo marítimo desde el que se contempla la playa de *La Caleta*.

Por lo que veo es una playa no muy grande, de unos 400 metros de largo, en forma de semicírculo.

Bajamos las escaleras que conducen hasta la playa y, nada más pisar la arena, siento unos deseos irresistibles de quitarme los zapatos y enterrar mis pies en ella.

La sensación que produce el contacto de mis pies con la blanca y fina arena es maravillosa y, por un momento, me siento totalmente libre y feliz.

Miro el reloj. Son las seis de la mañana y aquí estoy, en una de las playas más bellas que conozco, con este chico tan misterioso, con mis pies enterrados en la arena y a punto de amanecer...

— Mira hacia allí, Natacha. El sol saldrá por ese lado dentro de unos minutos.

Miro hacia donde Martín me señala y, poco a poco, voy reconociendo un círculo luminoso que intenta salir por el horizonte.

Agotamos las últimas horas de la noche mirando el nuevo sol en silencio.

En ese momento, cuando la noche se convierte en día, Martín me mira fijamente a los ojos y me besa.

Al principio me sorprende un poco. Pero no me muevo. Cierro los ojos y me dejo llevar.

No sé cuánto dura este beso, pero es un beso especial...

Finalmente abrimos los ojos y nos miramos. Es de día.

Sábado, 06.30h.

— Este es el bar que te digo, Natacha, el *Bar Malagueño*. Vamos a desayunar algo, me imagino que tienes hambre, ¿verdad?

– Sí, la verdad es que me apetece comer algo; y también un café.

– Perfecto.

Entramos en el bar. Hay mucha gente, la mayoría de ellos todavía con disfraces de la noche anterior, gente que como Martín y yo aún sigue despierta.

Pero también hay algunas personas, algo mayores, vestidas normalmente, **tomando un café** mientras leen tranquilamente el periódico.

Esta mezcla de personas *normales* y jóvenes *carnavaleros* crea una atmósfera especial.

En el *Bar Malagueño* hay muchas **tapas** diferentes. Se me hace la boca agua cuando las miro...

Nos sentamos en la barra y pedimos un café y unos **churros**.

Mientras esperamos a que nos sirvan, me doy cuenta de que tengo que ir al baño, así que me levanto y recorro el pasillo que me lleva hasta él.

Llego al cuarto de baño, pero está ocupado; creo que voy a tener que esperar.

El cuarto de baño de los chicos y el de las chicas se encuentran uno junto al otro y, para distraerme, miro los *simbolitos* que hay en la puerta para distinguirlos. El baño de las chicas tiene una placa con la cabeza de un hombre fumando en pipa y, en el momento en que lo miro, se abre la puerta y sale alguien.

¡Casi me da un ataque al corazón!...– ¡Philippe!

– ¡Natacha!

tomando un café: el desayuno en España no suele ser abundante. A menudo un café, o un café con leche, y alguna pasta para acompañarlo.

tapas: en muchas partes de España, especialmente en Andalucía, es costumbre acompañar la bebida con algo de comer sin costo alguno para el cliente.

churros: masa de harina frita en aceite que se toma como desayuno en España.

¡No me lo puedo creer! ¡Es imposible! Allí está mi amigo Philippe, saliendo de un cuarto de baño de un bar perdido en la zona vieja de Cádiz.

Los dos nos fundimos en un abrazo y yo estoy casi a punto de llorar de la emoción.

– Pero... ¡Natacha! ¿Qué haces aquí? ¿Estás bien? ¿Con quién estás?

¡gracias a Dios!: exclamación que expresa alivio ante la solución de un problema o dificultad.

– Sí, sí, Philippe, estoy bien... ¡**Gracias a Dios** que te encuentro!

– Es una larga historia. Luego te la cuento. Estoy con un chico que se llama Martín, muy simpático. Ven, te lo voy a presentar.

Los dos volvemos a la barra, donde Martín sigue sentado esperándome.

Philippe hace una señal a un grupo de personas que está al otro lado del bar para que vengan con nosotros. Allí están Lucía, Paco y el resto de sus amigos. ¡Están todos!

Presento a Martín a todo el mundo. Lucía me explica que, cansados de buscarme durante toda la noche, están desayunando algo aquí antes de volver a casa de Philippe a descansar.

¡Bendita casualidad!, pienso mientras saboreo el mejor café de toda mi vida.

Allí seguimos durante treinta minutos, hablando y desayunando, hasta que llega la hora de despedirse. Es tarde y Philippe y el resto de amigos quieren volver a casa a dormir un poco.

Todos salen del bar. Yo les pido un minuto para despedirme de Martín.

– Bueno, Natacha, me temo que esta es nuestra despedida...

– Sí, me temo que sí, pero bueno, te puedo dar mi dirección de *e-mail* si quieres.

– ¿Que si quiero? Claro que quiero, tonta. ¡Camarero!, ¿me deja un papel y un bolígrafo? –una repentina sonrisa ilumina su cara de nuevo.

Le escribo mi dirección de *e-mail*. Él me escribe la suya.

– ¿Vas a volver a Cádiz, Natacha?

– Sí, claro, ¡seguro! Pero tú también puedes venir a visitarme a Burdeos...

– Sí, ¡ojalá!, pero igual puedes quedarte algunos días más aquí. **Al fin y al cabo** eres estudiante, no tienes obligación de trabajar el lunes...

al fin y al cabo: sin embargo, después de todo.

Me quedo paralizada y lo único que sé decir es:

– Bueno, Martín, me tengo que ir, ¡adiós! –me doy la vuelta y me alejo poco a poco.

Pero de repente, noto como una mano me agarra de la cintura y me da la vuelta de nuevo.

Entonces Martín me mira a los ojos y me besa.

EXPLOTACIÓN DIDÁCTICA
EJERCICIOS PARA EL ALUMNO

Lecturas de Español es una colección de historias breves especialmente pensadas para los estudiantes de español como lengua extranjera. Los cuentos han sido escritos, teniendo en cuenta, básica pero no únicamente, una progresión gramático-funcional secuenciada en seis etapas, de las cuales las dos primeras corresponderían a un nivel inicial de aprendizaje, las dos segundas a un nivel intermedio, y las dos últimas al nivel superior. Como resultado de la mencionada secuenciación, el estudiante puede tener contacto con textos escritos "complejos" ya desde los primeros momentos del aprendizaje y puede hacer un seguimiento más puntual de sus progresos.

Las aportaciones didácticas de ***Lecturas de Español*** son fundamentalmente dos:

- notas léxicas y culturales al margen, que permiten al alumno acceder, de forma inmediata, a la información necesaria para una comprensión más exacta del texto.

- explotaciones didácticas amplias y variadas que no se limiten a un aprovechamiento meramente instrumental del texto, sino que vayan más allá de los clásicos ejercicios de "comprensión lectora", y que permitan ejercitar tanto otras destrezas como también cuestiones puntuales de gramática y léxico. El tipo de ejercicios que aparecen en las explotaciones permite asimismo llevar este material al aula ampliando, de esa manera, el número de materiales complementarios que el profesor puede incorporar a a sus clases.

Con respecto a los autores, hemos querido contar con narradores capaces de elaborar historias atractivas, pero que además sean –condición casi indispensable– expertos profesores de E/LE, para que estén más sensibilizados con el tipo de problemas con que se enfrenta un estudiante de español como lengua extranjera.

Las narraciones, que no se inscriben dentro de un mismo "género literario", nunca **son** adaptaciones de obras, sino **originales** creados *ex profeso* para el fin que persiguen, y en ellas se ha intentado conjugar tanto amenidad como valor didáctico, todo ello teniendo siempre presente al lector, una persona joven o adulta con intereses variados.

PRIMERA PARTE

Comprensión lectora

1. **Aquí tienes un fragmento del comienzo de la historia al que le faltan algunas palabras. Busca en esta lista un sinónimo de las palabras que aparecen en el fragmento y complétalo.**

Curso	estado de ánimo
voy	contentos
cuenta	popular
me hace falta	está soleado
vieja	reside
alojarme	tantos deseos

¹.................... en un tren nocturno, un tren que me deja mañana por la mañana en la ciudad de Cádiz, en el sur de España. Y ².................... dormir, así que creo que hoy no estoy para muchas conversaciones. Sí, necesito dormir mucho porque mi amigo Philippe me espera a las ocho en la estación, para recogerme y llevarme a su casa, donde quiero pasar unos días para conocer el ³.................... Carnaval de Cádiz. Y Philippe siempre ⁴.................... que durante el Carnaval se sale mucho y se duerme muy poco. Él ⁵.................... en esta ciudad (dicen que la más ⁶.................... de Europa), donde estudia su tercer ⁷.................... de Humanidades con una beca Erasmus. Aparte de que puedo ahorrarme el dinero de ⁸.................... en un hotel, Philippe me dice en sus correos que conoce mucha gente en Cádiz, que la gente es muy simpática y que todos están ⁹..................... También me cuenta que siempre ¹⁰...................., y que eso influye en el ¹¹..................... ¡Tengo ¹².................... de llegar!

2. **A continuación hay diez afirmaciones relacionadas de alguna manera con la historia. Marca cuáles son verdaderas y cuáles falsas.**

a. Natacha viaja en transporte público a Cádiz.   ☐ V / F ☐

b. Natacha conoce a Philippe en Cádiz.   ☐ V / F ☐

c. Philippe vive solo en un piso de alquiler.   ☐ V / F ☐

d. Martín es un amigo de Philippe.   ☐ V / F ☐

e. Hay momentos en los que Natacha no se siente muy segura.   ☐ V / F ☐

f. Hay tanta gente en las calles que es fácil perderse.   ☐ V / F ☐

g. Natacha se pierde porque se emborracha.   ☐ V / F ☐

h. Martín no tiene malas intenciones.   ☐ V / F ☐

i. Philippe se pasa toda la historia buscando a Natacha.   ☐ V / F ☐

j. Philippe y Natacha quedan en *La Caleta* para volver a casa.   ☐ V / F ☐

SEGUNDA PARTE
Gramática y léxico

1. **A continuación tienes una serie de formas verbales que pueden ser nuevas o recientes para ti y que aparecen en la historia.**

1. Mirando	8. Guiñando	15. Sudando
2. Pidiendo	9. Andando	16. Señalando
3. Hablando	10. Riendo	17. Reconociendo
4. Haciendo	11. Tocando	18. Pasando
5. Despertando	12. Saliendo	19. Buscando
6. Dando	13. Pensando	20. Poniendo
7. Sonriendo	14. Rompiendo	21. Viendo

1.1. ¿Qué verbo se esconde detrás de cada una de esas formas? Cuidado, algunos de los verbos son irregulares.

1.	8.	15. ....
2.	9.	16. ....
3.	10.	17. ....
4.	11.	18. ....
5.	12.	19. ....
6.	13.	20. ....
7.	14.	21. ....

1.2. Como sabes, en español tenemos verbos acabados en –*ar*, en –*er* o en –*ir*. Hablamos, según la terminación, de verbos de la primera, segunda o tercera conjugación. Las formas presentadas en este ejercicio son formas del "gerundio". Seguro que nos puedes decir cómo se forma en el caso de los verbos regulares:

1.ª conjugación	2.ª conjugación	3.ª conjugación
Verbos acabados en -*ar*	Verbos acabados en -*er*	Verbos acabados en -*ir*
....	....	....

1.3. ¿Qué verbos irregulares hay en la lista por lo que a la formación del gerundio se refiere?

....

....

1.4. Después de este entrenamiento seguro que eres capaz de decir a qué verbo corresponden las forma "Yendo" y "Leyendo".

.... y ....

2. **Es importante saber cómo se construyen las diferentes formas verbales, pero también lo es saber cómo se utilizan.** Lee atentamente los fragmentos de la historia que te damos a continuación e intenta deducir los diferentes valores del gerundio. Fíjate bien: ¿aparece solo y si no, con qué verbos?

- – Gracias, señorita. Entonces... usted se baja en Cádiz, ¿verdad? –dice el revisor mirando mi billete.

- El revisor se marcha y continúa pidiendo el billete al resto de pasajeros.

- El tren avanza rápido sobre las vías, haciendo su típico sonido: *tratratratratra*.

- ¡Qué sueño! El hombre me da unos golpecitos en el hombro mientras me sigue hablando.

- ¡Ah, sí!... Por fin me doy cuenta, ¡es el revisor del tren! Lentamente voy despertando.

- Me levanto y avanzo dando tumbos por el pasillo. Despertar por las mañanas no es mi fuerte, necesito un café urgentemente.

- – Jolín, Philippe, cuidado, que me vas a ahogar... ¡Vaya recibimiento! –le digo, haciendo un esfuerzo para hablar.

- – Sí, eso dice, le gusta exagerar– le digo guiñando un ojo. Pedro y Philippe se ríen.

- – Nada, nada, mujer… En esta casa es normal. Siempre tenemos visita y alguien tiene que dormir en el sofá. Es como una habitación más –dice sonriendo.

- – ¡Estás feísima! –dice Philippe riendo.

- La plaza en la que estamos es una plaza muy bonita, grande y con mucha luz. También hay muchas palmeras y palomas que acuden para comer las migas de pan que la gente les echa. La atravesamos y seguimos andando por una calle que se llama *Pelota*.

- Cada cierto tiempo pasa por delante de nosotros un grupo de gente con tambores de todos los tipos, y tocando ritmos típicos del Carnaval que provocan un continuo baile mientras duran. Es increíble.

- Poco a poco conseguimos llegar al bar y, tras esperar un poco haciendo cola, entramos al servicio.

- Empiezo a sudar, creo que otra vez me estoy poniendo nerviosa.

- La verdad es que sí tengo ganas de ir, lo llevo un rato pensando, pero no me atrevo a ir sola, con tanta gente por todos lados...

- Todo el mundo habla en voz alta y el ruido me parece insoportable. Sigo sudando.

- – ¿Al *Barrio de la Viña*?... Sí, cómo no, ¡es muy fácil! Sigues esta calle todo recto, sin dejarla en ningún momento –dice el chico, señalando la calle de mi izquierda.

- Me acerco más, con curiosidad pero un poco asustada, para poder ver mejor qué está pasando.

- – No, Lucía, seguro que no está en mi casa, ¡ella no sabe ir sola! Conozco a Natacha muy bien, y seguro que me está buscando.

- – Me temo que sí –respondo desconfiada–. He perdido a mis amigos y los estoy buscando.

- Las olas siguen rompiendo con su ritmo pausado y esto me produce cierta tranquilidad.

- Quiere decirnos algo y, lo cierto es que me alegro mucho porque me estoy poniendo colorada.

- – Muy bien, perfecto... Voy a comprar fino, estoy allí enfrente con unos amigos..., ¿y tú?, ¿cómo por aquí?
  – Pues ya ves, viendo actuar al hermano de Mario.

- – Miro hacia donde Martín me señala y, poco a poco, voy reconociendo un círculo luminoso que intenta salir por el horizonte.

- Allí está mi amigo Philippe, saliendo de un cuarto de baño de un bar perdido en la zona vieja de Cádiz.

3. **En el texto se habla de los gaditanos, que son los habitantes de Cádiz.** Cádiz es la capital de una de las provincias de la Comunidad Autónoma de Andalucía y para hablar de la gente de Andalucía utilizamos las palabras "andaluz", "andaluza", "andaluces". ¿Sabes cómo se llaman los habitantes de las demás Comunidades Autónomas españolas?

1. Andalucía	**a.** andaluz
2. Aragón	**b.** ....
3. Asturias	**c.** ....
4. Baleares	**d.** ....
5. Canarias	**e.** ....
6. Cantabria	**f.** ....
7. Castilla-La Mancha	**g.** ....
8. Castilla y León	**h.** ....
9. Cataluña	**i.** ....
10. Comunidad Valenciana	**j.** ....
11. Extremadura	**k.** ....
12. Galicia	**l.** ....
13. La Rioja	**m.** ....
14. Madrid	**n.** ....
15. Murcia	**ñ.** ....
16. Navarra	**o.** ....
17. País Vasco	**p.** ....
18. Ceuta	**q.** ....
19. Melilla	**r.** ....

3.1. Como la acción se desarrolla en una de las ciudades andaluzas, te vamos a pedir un esfuerzo especial. ¿Cómo se llaman los naturales de las diferentes capitales de provincia andaluzas?

1. Almería	**a.** ....
2. Cádiz	**b.** ....
3. Córdoba	**c.** ....
4. Granada	**d.** ....
5. Huelva	**e.** ....
6. Jaén	**f.** ....
7. Málaga	**g.** ....
8. Sevilla	**h.** ....

4. A continuación tienes dos situaciones de la historia. En ellas aparece la misma estructura sintáctica: _"Vaya + sustantivo"_. Intenta deducir el significado.

- – ¡Señorita, señorita! ¡Despierte, ya estamos en Cádiz! –dice un hombre vestido de uniforme. Poco a poco abro los ojos e intento centrar la mirada en el hombre que me grita. El caso es que su cara me resulta familiar, pero yo sigo sin poder reaccionar ¡Qué sueño! El hombre me da unos golpecitos en el hombro mientras me sigue hablando.

  ¡Ah, sí!... Por fin me doy cuenta, ¡es el revisor del tren! Lentamente voy despertando, mientras me froto los ojos.

  – Vamos, señorita, tiene que bajar. **¡Vaya forma de dormir!** –dice el hombre entre carcajadas.

  Miro el reloj. Son las ocho de la mañana, la hora de llegada. Aparto la cortina de la ventana para mirar al exterior y un rayo de luz me golpea en la cara. ¡Vaya, pues es verdad que hace mucho sol aquí en Cádiz! ¡Para ser febrero no está nada mal! Cojo mi mochila del asiento de al lado y me pongo las gafas de sol. Me levanto y avanzo dando tumbos por el pasillo. Despertar por las mañanas no es mi fuerte, necesito un café urgentemente.

- – ¡Natacha! ¿Cómo estás? –Philippe se coloca delante de mí y me da un fuerte abrazo. Pero a mí, que estoy recién levantada, su abrazo me parece el de un gran oso que me quiere asfixiar.

  – Vaya, Philippe, cuidado, que me ahogas... **¡Vaya recibimiento!** –le digo, haciendo un esfuerzo para hablar.

  – Ah, perdona, Natacha... ¡es que me alegro tanto de verte! –dice, mientras se separa de mí–. ¿Qué tal el viaje?, ¿muy pesado?

¿Para qué crees que se utiliza esta forma aquí? ¿Tiene el mismo valor en los dos casos? Con la ayuda de tus profesores, inventa tres contextos en los que crees que se puede utilizar esta estructura.

1. _____

_____

_____

_____

_____

2. _____

_____

_____

_____

3. _____

_____

_____

_____

5. Fíjate en las formas subrayadas aparecidas en el texto:

• – Espera un momento –interrumpe Philippe–. Antes <u>voy a enseñarle</u> a Natacha la casa y su habitación.

• – Le escribo mi dirección de *e-mail*. Él me escribe la suya.
   – ¿<u>Vas a volver</u> a Cádiz, Natacha?

• – Bueno, Natacha, cuánto me alegro de verte aquí. <u>Lo vamos a pasar</u> genial. Mira, te presento a mi amigo Pedro –me señala a un chico delgado y moreno que está a su lado, que me sonríe y se acerca para darme dos besos.

• El revisor se marcha y continúa pidiendo el billete al resto de pasajeros. ¡Guau! ¡Así que Cádiz tiene las mejores playas de España! Definitivamente creo que <u>me va a encantar</u> esta ciudad.

¿Qué estructura tiene para cada una de las personas?

1.ª persona del singular	1.ª persona del plural ....
2.ª persona del singular	2.ª persona del plural ....
3.ª persona del singular	3.ª persona del plural ....

¿Qué valor crees que tiene? Justifica tu respuesta.

6. **¿Conoces el verbo *deber*? Quizá no, pero es una de las formas en español de expresar la obligación. Hay otra que aparece en el texto varias veces y que seguramente es más frecuente. Se construye de la siguiente manera:**

> forma personal del verbo *tener* + *que* + infinitivo

Vuelve al texto y busca diez ejemplos de uso de esta estructura. Si quieres, puedes intentar con un compañero ver quién las encuentra antes. Suerte.

a. _____

b. _____

c. _____

d. _____

e. _____

f. _____

g. _____

h. _____

i. _____

j. _____

Ahora que ya las reconoces sin problema, intenta hacer un decálogo de obligaciones del buen participante de un carnaval.

a. _____

b. _____

c. _____

d. _____

e. _____

f. _____

g. _____

h. _____

i. _____

j. _____

7. **¿Te apetece jugar un rato? A continuación tienes una serie de marcadores de tiempo que puedes utilizar con el presente de indicativo. En parejas, en una hoja, haced una especie de concurso para ver quién escribe más frases utilizando el mayor número de marcadores. Si conoces otros, también los puedes utilizar.**

- en un rato
- ahora
- en este momento

- de repente
- mientras + presente de indicativo

- nada más
- en el acto
- entonces

1. ————————————
2. ————————————
3. ————————————
4. ————————————
5. ————————————
6. ————————————
7. ————————————
8. ————————————
9. ————————————
10. ————————————

TERCERA PARTE
Expresión escrita

1. **Cuando Natacha decide ir a ver a Philippe, le escribe un correo electrónico para comunicárselo en el que le hace algunas preguntas prácticas sobre el viaje y sobre las mejores fechas para ir. Intenta reproducir ese correo y el correo de respuesta de Philippe.**

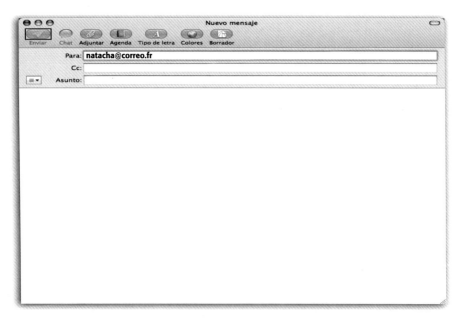

2. Natacha es una persona sistemática que antes de salir de viaje hace una lista con todas las cosas que necesita para no olvidar nada. ¿Qué crees que hay en la lista de este viaje? Ten en cuenta la época del año, la ciudad a la que va, etc.

1. _____
2. _____
3. _____
4. _____
5. _____
6. _____
7. _____
8. _____
9. _____
10. _____

3. Los padres de Natacha le dan algunos consejos para el viaje. Natacha toma nota para no olvidarse. ¿Qué consejos crees que le dan?

1. Llama por teléfono todos los días.

2.

3.

4.

5.

6.

7.

8.

9.

10.

4. Una de las cosas que solemos hacer cuando estamos de vacaciones es escribir postales a amigos y familiares. Natacha no es una excepción y decide escribir algunas postales con sus primerísimas impresiones de Cádiz.

5. Natacha ya no vive con sus padres y las llaves de su piso las tiene una amiga. En la nevera, con un imán, hay una lista de cosas que hay que hacer durante su ausencia.

1. _____

2. _____

3. _____

4. _____

5. _____

6. _____

7. _____

8. _____

9. _____

10. _____

CUARTA PARTE
Expresión oral

1. La juventud tiene sus leyes y hay muchas cosas que parecen propias de una edad concreta. ¿Crees que cualquiera puede divertirse y disfrazarse en carnaval? ¿Tiene la edad alguna importancia? ¿Hay diversiones propias de una edad y no de otra? Coméntalo con tus compañeros.

2. En algunos momentos Natacha tiene cierto temor, pero en líneas generales, la ciudad de Cádiz parece una ciudad segura incluso en la época del carnaval. La seguridad en las ciudades es para la sociedad y para las autoridades un verdadero problema. ¿Crees que hay épocas en las que las ciudades son más peligrosas? ¿Cómo se puede solucionar el tema? Coméntalo con tus compañeros.

3. Philippe parece no tener teléfono móvil y la historia es posible gracias a eso. ¿Crees verosímil en nuestros tiempos la existencia de un grupo de jóvenes sin teléfono móvil? Comenta con tus compañeros las ventajas y desventajas del móvil.

4. Hablar o no hablar con desconocidos. Hay consejos que se suelen dar sin pararse a pensar en lo que encierran. ¿Crees que está justificado ese consejo? ¿Crees que la desconfianza nos puede permitir construir una sociedad más cívica, más humana? Coméntalo con tus compañeros.

5. En la historia se puede ver que los horarios y las costumbres españolas que Natacha encuentra en Cádiz son muy diferentes a las de otros países. Comenta con tus compañeros las costumbres de los lugares que conoces y que más se diferencian de las tuyas.

6. Hay tópicos que en ocasiones son utilizados para ridiculizar a diferentes grupos humanos. En la historia vemos como Natacha y una amiga van juntas al baño, una de esas acciones sobre las que muchos hombres hacen chistes. ¿Crees que los comportamientos femeninos y los comportamientos masculinos son realmente diferentes? Coméntalo con tus compañeros.

7. España, de norte a sur y de este a oeste, se asocia muy a menudo con el flamenco. Sin embargo, en España hay muchas otras manifestaciones musicales y de baile que no tienen ninguna relación con el flamenco. ¿Ocurre lo mismo en tu país? ¿Y en otros países que conoces? ¿Te parece normal? ¿Es un primer paso en el fenómeno de la globalización? ¿Somos incapaces de aceptar la diversidad y necesitamos utilizar criterios reduccionistas para relacionarnos con el mundo? Coméntalo con tus compañeros.

SOLUCIONES

Antes de empezar a leer

2.   *Soluciones*

Río de Janeiro, Las Palmas de Gran Canaria, Cádiz, Venecia, Montevideo, Nueva Orleans, Santa Cruz de Tenerife y Sitges.

4.   *Soluciones*

a) 3, b) 1, c) 6, d) 2, e) 4 y f) 5.

5.   *Soluciones*

a) Año nuevo, b) Reyes, c) Carnaval, d) Semana Santa, e) San Juan, f) Día de Todos los Santos, g) Día de la Constitución, h) Nochebuena, i) Navidad y j) Nochevieja.

Comprensión lectora

1.   *Soluciones*

1) Voy, 2) me hace falta, 3) popular, 4) cuenta, 5) reside, 6) vieja, 7) curso, 8) alojarme, 9) contentos, 10) está soleado, 11) estado de ánimo y 12) tantos deseos.

En el texto original: Viajo, necesito, famoso, dice, vive, antigua, año, quedarme, están de buen humor, hace sol, carácter, tantas ganas.

2.   *Soluciones*

a) V, b) F, c) F, d) F, e) V, f) V, g) F, h) V, i) V y j) F.

Gramática y léxico

1.
Soluciones

1.1. 1) *Mirar,* **2)** *Pedir,* **3)** *Hablar,* **4)** *Hacer,* **5)** *Despertar,* **6)** *Dar,* **7)** *Sonreír,* **8)** *Guiñar,* **9)** *Andar,* **10)** *Reír,* **11)** *Tocar,* **12)** *Salir,* **13)** *Pensar,* **14)** *Romper,* **15)** *Sudar,* **16)** *Señalar,* **17)** *Reconocer,* **18)** *Pasar,* **19)** *Buscar,* **20)** *Poner* y **21)** *Ver.*

1.2. Mir ~~ar~~, +*ando* = *mirando*
Hac ~~er~~, +*iendo* = *haciendo*
Sal ~~ir~~, +*iendo* = *saliendo*

1.3. *Pedir* − *pidiendo*
Sonreír − *sonriendo*
Reír − *riendo*

1.4. *Ir* y *Leer*

3.
Soluciones

a) *andaluz,* **b)** *aragonés,* **c)** *asturiano,* **d)** *balear,* **e)** *canario,* **f)** *cántabro,* **g)** *castellano manchego,* **h)** *castellano leonés,* **i)** *catalán,* **j)** *valenciano,* **k)** *extremeño,* **l)** *gallego,* **m)** *riojano,* **n)** *madrileño,* **ñ)** *murciano,* **o)** *navarro,* **p)** *vasco,* **q)** *ceutí* y **r)** *melillense.*

3.1. **a)** *almeriense,* **b)** *gaditano,* **c)** *cordobés,* **d)** *granadino,* **e)** *onubense,* **f)** *jienense,* **g)** *malagueño* y **h)** *sevillano.*

TÍTULOS DISPONIBLES

LECTURAS GRADUADAS

E-I **Amnesia** José L. Ocasar ISBN: 84-85789-89-X	**I-I** **Muerte entre muñecos** Julio Ruiz ISBN: 84-89756-70-8	**S-I** **Los labios de Bárbara** David Carrión ISBN: 84-85789-91-1
E-I **Historia de una distancia** Pablo Daniel González-Cremona ISBN: 84-89756-38-4	**I-I** **Memorias de septiembre** Susana Grande ISBN: 84-89756-86-4	**S-I** **El encuentro** Iñaki Tarrés Chamorro ISBN: 84-89756-25-2
E-I **La peña** José Carlos Ortega Moreno ISBN: 84-95986-05-1	**I-I** **La biblioteca** Isabel Marijuán Adrián ISBN: 84-89756-23-6	**S-I** **La cucaracha** Raquel Romero Guillemas ISBN: 84-89756-40-6
E-I **Carnaval** Ramón Fernández Numen ISBN: 84-95986-91-4	**I-I** **Azahar** Jorge Gironés Morcillo ISBN: 84-89756-39-2	**S-I** **Mimos en Madrid** Alicia San Mateo Valdehíta ISBN: 84-95986-06-X
E-II **Paisaje de otoño** Ana M.ª Carretero ISBN: 84-89756-83-X	**I-II** **Llegó tarde a la cita** Víctor Benítez Canfranc ISBN: 84-95986-07-8	**S-I** **A los muertos no les gusta la fotografía** Manuel Rebollar ISBN: 84-95986-88-4
E-II **El ascensor** Ana Isabel Blanco ISBN: 84-89756-24-4	**I-II** **En agosto del 77 nacías tú** Pedro García García ISBN: 84-95986-65-5	**S-II** **Una música tan triste** José L. Ocasar ISBN: 84-89756-88-0
E-II **Manuela** Eva García y Flavia Puppo ISBN: 84-95986-64-7	**I-II** **Destino Bogotá** Jan Peter Nauta ISBN: 84-95986-89-2	**S-II** **La última novela** Abel A. Murcia Soriano ISBN: 84-95986-66-3
	I-II **Las aventuras de Tron** Francisco Casquero Pérez ISBN: 84-95986-87-6	

HISTORIAS DE HISPANOAMÉRICA

E-II **Regreso a las raíces** Luz Janeth Ospina ISBN: 84-95986-93-0	**E-II** **Con amor y con palabras** Pedro Rodríguez Valladares ISBN: 84-95986-95-7

HISTORIAS PARA LEER Y ESCUCHAR (INCLUYE CD)

E-II **Manuela** Eva García y Flavia Puppo ISBN: 84-95986-58-2	**E-I** **Carnaval** Ramón Fernández Numen ISBN: 84-95986-92-2	**E-II** **Con amor y con palab** Pedro Rodríguez Valladares ISBN: 84-95986-96-5
I-II **En agosto del 77 nacías tú** Pedro García García ISBN: 84-95986-59-0	**I-II** **A los muertos no les gusta la fotografía** Manuel Rebollar ISBN: 84-95986-90-6	**E-II** **Regreso a las raíces** Luz Janeth Ospina ISBN: 84-95986-94-9
S-II **La última novela** Abel A. Murcia Soriano ISBN: 84-95986-60-4		

Niveles:

E-I ➜ Elemental I	**I-I** ➜ Intermedio I	**S-I** ➜ Superior I
E-II ➜ Elemental II	**I-II** ➜ Intermedio II	**S-II** ➜ Superior II